Pour Tom, David et Peter
MW
Pour Amy et Sandy
BF

Toi & moi, Petit Ours

Texte de Martin Waddell
illustrations de Barbara Firth

PASTEL
l'école des loisirs

Il était une fois deux ours,
Grand Ours et Petit Ours.
Grand Ours est le grand ours
et Petit Ours est le petit ours.
Petit Ours veut jouer mais
Grand Ours n'a pas le temps.

"Je veux jouer", dit Petit Ours.
"Je dois ramasser du bois pour le feu",
dit Grand Ours.

"Moi aussi, alors", dit Petit Ours.
"Oui", dit Grand Ours,
"nous allons ramasser du bois ensemble,
toi et moi."

"Qu'est-ce qu'on fait maintenant ?"
demande Petit Ours.
"Je vais puiser de l'eau", dit Grand Ours.
"Moi aussi alors", dit Petit Ours.
"Oui", dit Grand Ours, "nous allons
puiser de l'eau ensemble, toi et moi".

"Maintenant on joue", dit Petit Ours.
"Je dois encore ranger notre grotte", dit Grand Ours.
"Moi aussi, je range", dit Petit Ours.
"Oui", dit Grand Ours. "Toi tu ranges tes affaires et moi je m'occupe du reste."

"J'ai fini de ranger mes affaires, Grand Ours",
dit Petit Ours.
"C'est très bien, Petit Ours", dit Grand Ours,
"mais moi je n'ai pas encore fini."
"J'ai envie que tu joues avec moi", dit Petit Ours.
"Il faut que tu joues un peu tout seul, Petit Ours",
dit Grand Ours.
"J'ai encore beaucoup de choses à faire !"
Petit Ours joue tout seul pendant que
Grand Ours continue son travail.

Petit Ours joue
à "ours-qui-rebondit".

Petit Ours joue
à "ours-qui-glisse".

Petit Ours joue
à "ours-pendu".

Petit Ours joue
à "ours-qui-se-bat-avec-des-bâtons".

Petit Ours joue
à "ours-à-l'envers".

Grand Ours sort de la grotte et vient s'asseoir
sur son rocher.

Petit Ours joue
à "ours-carrousel".

Grand Ours ferme les yeux pour réfléchir.

Petit Ours vient dire
quelque chose à Grand Ours,
mais Grand Ours…

dort !

"Hé, Grand Ours, réveille-toi!" dit Petit Ours.
Grand Ours ouvre les yeux.
"J'ai fini de jouer tout seul", dit Petit Ours.

Grand Ours réfléchit :
"Si on jouait à cache-cache, Petit Ours ?"
"Moi je me cache et toi tu comptes",
dit Petit Ours. Et il court se cacher.

"J'arrive !" dit Grand Ours.
Il cherche Petit Ours. Et il le trouve !

Ensuite,
Grand Ours se cache et Petit Ours le cherche.
"Je t'ai trouvé, Grand Ours !" dit Petit Ours.
"Donc, maintenant, c'est de nouveau à moi…"

Grand Ours et Petit Ours jouent
à tous les jeux d'ours.
Quand le soleil descend derrière les arbres,
ils sont toujours en train de jouer.
Alors Petit Ours dit : "Rentrons à la maison
maintenant, Grand Ours".

Grand Ours et Petit Ours rentrent dans leur grotte.
"Nous avons été très occupés aujourd'hui,
Petit Ours", dit Grand Ours.
"Oui, Grand Ours", dit Petit Ours.
"Nous avons beaucoup joué ensemble,

toi et moi."